Educación Física

Primer grado

La elaboración de *Educación Física. Primer grado* estuvo a cargo de la Dirección General de Materiales Educativos de la Subsecretaría de Educación Básica, Secretaría de Educación Pública.

Secretaría de Educación Pública
Alonso Lujambio Irazábal

Subsecretaría de Educación Básica
José Fernando González Sánchez

Dirección General de Materiales Educativos
María Edith Bernáldez Reyes

Coordinación técnico-pedagógica
María Cristina Martínez Mercado
Alexis González Dulzaides

Autores
Carlos González Valencia
Israel Huesca Guillén
Amparo Juan Platas
Leticia Gertrudis López Juárez
Jorge Medina Salazar
Ana Frida Monterrey Heimsatz

Revisión técnico-pedagógica
Alejandro Carcaño Lima
Miguel Ángel Dávila Sosa
José de Jesús Hernández Herrera
Ana Flores Montañez
Marta Eugenia López Ortiz
Daniela Aseret Ortiz Martinez
Óscar Palacios Ceballos
Ana Lilia Romero Vázquez
Blanca Estela García Guzmán

Diseño de portada
Dirección Editorial, DGME

Ilustración de portada
Sin título, 2009 (ilustración digital)
Alejandro Portilla de Buen

Coordinación editorial
Dirección Editorial, DGME
Alejandro Portilla de Buen

Servicios editoriales
Grupo Editorial Siquisirí,
S.A. de C.V.

Ilustración
Margarita Sada (pp. 7, 12-35)
Aleida Ocegueda (pp. 9, 36-53)
Esmeralda Ríos (pp. 8, 54-73)
Julián Cicero (pp. 10, 74-91)
Heyliana Flores (pp. 11, 92-107)

Cuidado editorial
Ana Laura Delgado
Sonia Zenteno

Diseño y diagramación
Ana Laura Delgado
Humberto Brera
Rosario Ponce Perea

Primera edición, 2009

ISBN: 978-607-469-126-9

Impreso en México

Agradecimientos
La Secretaría de Educación Pública agradece a los más de 18 mil maestros y maestras, a las autoridades educativas de todo el país, al Sindicato Nacional de Trabajadores de la Educación, a expertos académicos, a los coordinadores estatales de Asesoría y Seguimiento para la Articulación de la Educación Básica, a los coordinadores estatales de Asesoría y Seguimiento para la Reforma de la Educación Primaria, así como a monitores, asesores y docentes de escuelas normales, por colaborar en la revisión de las diferentes versiones de los materiales de apoyo llevada a cabo durante las Jornadas Nacionales y Estatales de Exploración de Materiales Educativos y las Reuniones Regionales, realizadas entre los meses de mayo de 2008 y marzo de 2009.

También se agradece el apoyo de las siguientes instituciones: Organización de Estados Iberoamericanos, Universidad Autónoma Metropolitana, Centro de Educación y Capacitación para el Desarrollo Sustentable de la Secretaría de Medio Ambiente y Recursos Naturales, Ministerio de Educación de la República de Cuba. Asimismo, la Secretaría de Educación Pública extiende su agradecimiento a todas aquellas personas e instituciones que de manera directa e indirecta contribuyeron a la realización de este libro de texto.

Presentación

Hoy como nunca antes, la educación pública en México enfrenta retos que cuestionan la viabilidad y pertinencia de su actuar, frente a la transformación de la sociedad actual y al imparable avance científico y tecnológico. La concepción misma de la escuela y su función deben evolucionar hacia un modelo que desarrolle las competencias necesarias para transitar con éxito por la vida.

De cara a este escenario, la Secretaría de Educación Pública ha emprendido acciones para integrar los niveles de preescolar, primaria y secundaria, en un trayecto formativo consistente que articule los conocimientos específicos, las habilidades y las competencias que demanda la sociedad del siglo XXI, para lograr el perfil de egreso de la educación básica y favorecer una vinculación eficiente con la educación media.

Teniendo como antecedentes las reformas de Preescolar y Secundaria, el desafío actual lo representa la Reforma de la Educación Primaria. Este proceso se ha iniciado con la elaboración de los nuevos planes y programas de estudio y sus correspondientes materiales educativos, así también se desarrollan estrategias de formación docente que acompañarán al colectivo docente en este arduo camino para reformar el currículo en su sentido más amplio. Al mismo tiempo, se impulsan acciones que consolidarán la gestión educativa.

Este libro de texto, en su primera edición, es producto de una construcción colectiva, amplia y diversa donde participaron expertos, pedagogos, equipos editoriales y técnicos, directivos y docentes que han sido partícipes de la prueba piloto que se encuentra instalada en 5 mil escuelas en todo el país. Es importante destacar que se ha nutrido también de las aportaciones realizadas por más de 18 mil maestros que asistieron a las jornadas nacionales y estatales organizadas con el apoyo de las autoridades educativas de las 32 entidades federativas.

Esta primera edición que se encuentra en proceso de generalización, se irá mejorando a partir del ciclo escolar 2009-2010 de manera colegiada a través de las aportaciones que especialistas, instituciones académicas de reconocido prestigio nacional e internacional, organismos no gubernamentales y los consejos consultivos realicen, pero fundamentalmente se espera que se consolide cada ciclo escolar, a partir de las experiencias que los maestros y alumnos logren con su uso en clase. Para tal motivo en el sitio internet de la Reforma Integral de la Educación Básica http://basica.sep.gob.mx/reformaintegral/ existirá un espacio abierto de manera permanente para recibir las sugerencias que permitan mejorar gradualmente su calidad y pertinencia.

Secretaría de Educación Pública

Índice

Aventura 1

Éste soy yo

Retos

Aventura 2

Convivimos y nos diferenciamos

Retos

Aventura 3

Lo que puedo hacer con mi cuerpo

Retos

Aventura 4

¡Puedes hacer lo que yo hago!

Retos

Aventura 5

De mis movimientos básicos al juego

Retos

Bienvenida

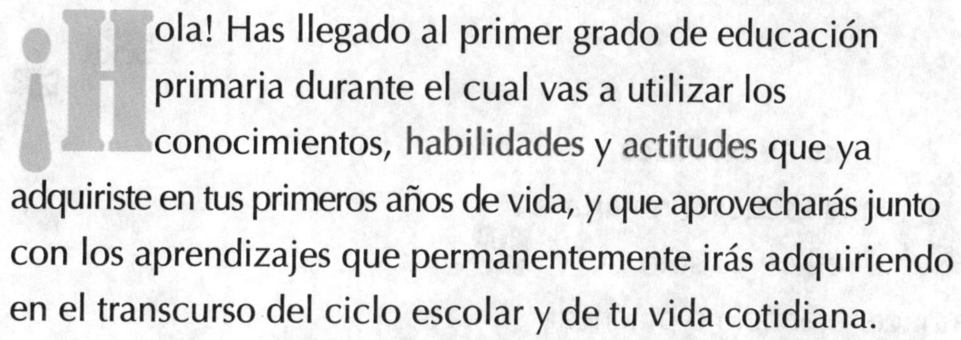

¡Hola! Has llegado al primer grado de educación primaria durante el cual vas a utilizar los conocimientos, habilidades y actitudes que ya adquiriste en tus primeros años de vida, y que aprovecharás junto con los aprendizajes que permanentemente irás adquiriendo en el transcurso del ciclo escolar y de tu vida cotidiana.

La Educación Física es una parte importante de tu vida escolar, y ahora podrás practicarla también con este cuaderno. Aquí se te ofrece la oportunidad de vivir una serie de aventuras con retos, que son desafíos interesantes y divertidos que te ayudarán a continuar conociendo tu cuerpo, a explorar las posibilidades de tus movimientos y crear otros nuevos, y a fortalecer tu interacción con los demás. Estas aventuras tienen un sentido lúdico, es decir, de juego, porque de una manera divertida obtendrás aprendizajes, que te servirán en tu vida presente y te prepararán para tu vida futura.

Es importante que tus padres o los adultos con los que convives a diario participen y te apoyen al realizar las actividades que se te proponen en este *Cuaderno de aventuras*, para que las realices de la mejor manera y puedas obtener buenos resultados.

Esta invitación también es para el maestro, que podrá utilizar este cuaderno como una herramienta para fortalecer las competencias en Educación Física y vincularlas con los aprendizajes de otras asignaturas, para propiciar tu desarrollo integral.

La Educación Física en la Escuela Primaria

La Educación Física en la Escuela Primaria se refiere no sólo a hacer ejercicio o practicar algún deporte, sino al conocimiento y a la educación integral que irás adquiriendo de tu cuerpo. En este espacio conocerás que eres un ser único, capaz de realizar ciertas actividades a partir de tus intereses. También adquirirás confianza en ti mismo, aprenderás a convivir y a expresarte, a cuidar tu salud, a desarrollar habilidades, creando otras formas de juego y movimiento, que irás descubriendo conforme curses los siguientes grados escolares.

La Educación Física busca estimular tres competencias. Una competencia es la puesta en práctica de conocimientos, habilidades, actitudes y valores para lograr un propósito. Las competencias a las que se hace referencia son:

- *La corporeidad como manifestación global de la persona.*
  Te permite conocer tu cuerpo, para que lo sientas, cuides y aceptes tal como es, es decir, para que tengas conciencia de él.

- *Expresión y desarrollo de habilidades y destrezas motrices.*
  Es muy importante que puedas trasmitir a los demás la aceptación que tienes de ti mismo, a través de la expresión y el movimiento. En Educación Física se busca estimular tus habilidades motrices básicas como base para futuros aprendizajes más complicados.

- *Control de la motricidad para el desarrollo de la acción creativa.*
  El conocimiento de tu cuerpo, sumado a la expresión de tus habilidades motrices te permitirá un mayor control, propiciando en ti la inquietud de crear y compartir con otras personas nuevas formas de movimiento.

Conoce tu libro

Este libro está dividido en cinco aventuras y cada una se compone de divertidos retos que te van a orientar para que comprendas tus posibilidades de movimiento y la de los demás. Con la ayuda de un adulto puedes identificar el **propósito** de cada aventura y el desarrollo de cada reto. Las actividades que se te sugieren son interesantes, divertidas y seguras.

Al inicio de cada reto, a la izquierda del título, se señala con quién puedes practicar la actividad sugerida y cuál es el lugar más apropiado para hacerla. Hay tres sitios para realizar el reto: Lugar abierto, como en un parque, jardín o patio. Lugar cerrado, como tu casa. Lugar abierto o cerrado, cualquiera de las dos opciones anteriores. También se indica si es una actividad que puedes realizar de manera individual, con amigos o compañeros de juego, o con un adulto, que te ayudará o acompañará.

En cada reto, aparece un recuadro que indica los materiales que necesitas y, además, se piden tus sugerencias para inventar tus propios juegos.
Al finalizar cada reto, te invitamos a la reflexión, es decir, que analices qué hiciste durante el juego, también hay un espacio para que el adulto verifique si se logró el propósito de la actividad colocando esta marca √.

Para que aproveches mejor este cuaderno y comprendas las palabras difíciles, éstas se *resaltan en el texto* y puedes encontrar su definición en el apartado que se llama Glosario, el cual podrás ir ampliando con palabras que desconozcas y que tú mismo investigues.

El color
de la Aventura 1
es
NARANJA

Aventura 1

Éste soy yo

En esta aventura te presentamos retos que te permitirán reconocer tu cuerpo, sus diferentes partes, las formas en que puedes utilizarlo y cuidarlo; además podrás aumentar las posibilidades de tus movimientos, así como sentir una mayor seguridad y confianza en ti mismo.

Propósito:
Hacer que el alumno conozca su esquema corporal a través de diversas experiencias que promuevan el conocimiento de sí mismo, es decir, que pase de una noción subjetiva del cuerpo, identificada por sus caracteres físicos, a una concepción objetiva que a través de su corporeidad se muestra y expresa ante sus compañeros.

Competencia: ***La corporeidad como manifestación global de la persona.***

INDIVIDUAL
LUGAR CERRADO

RETO: Parte por parte hasta colorearte

Para que reconozcas la ubicación y los nombres de las partes de tu cuerpo, te recomendamos que colorees las imágenes que se presentan a continuación.

Materiales:

Lápices de colores.

Realiza diferentes movimientos con cada una de las partes de tu cuerpo que vas coloreando.

Reflexión

Menciona y señala en el dibujo de la página anterior la cabeza, el tronco y las extremidades superiores e inferiores. A continuación hazlo en tu cuerpo y en el de tus familiares.

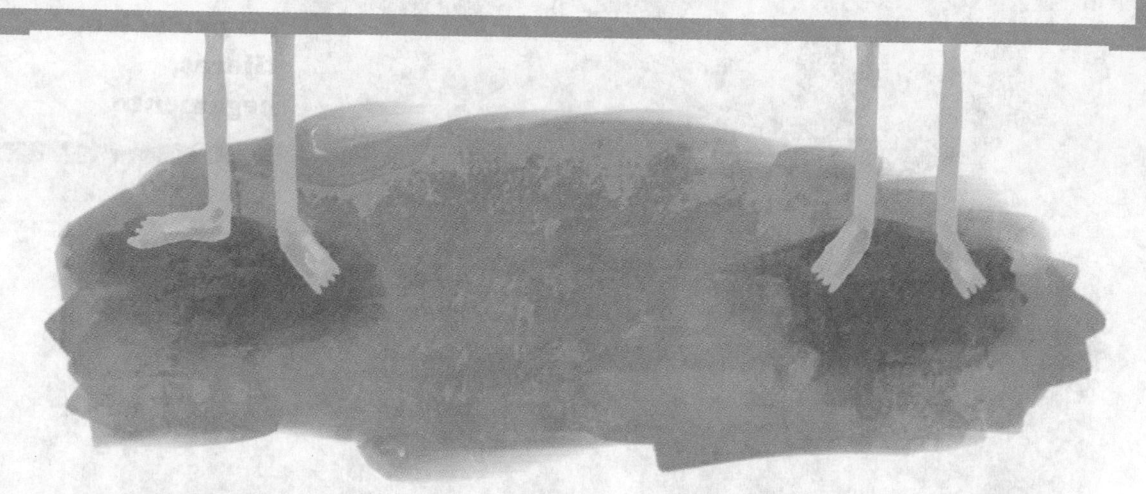

PARA EL ADULTO:

- ☐ El niño(a) distingue diferentes movimientos que puede realizar con su cuerpo.
- ☐ El niño(a) identifica las partes del cuerpo de otras personas.

CON UN ADULTO
LUGAR CERRADO

RETO: Corto y pego

Te sugerimos que busques en revistas o periódicos imágenes de personas en diferentes posturas: sentadas, acostadas, saltando, haciendo ejercicio, etcétera, y que las pegues en la siguiente hoja. **Ahora, pídele a un adulto que elija una de esas imágenes y que, sin mostrártela, te la describa, mencionando la posición de las diferentes partes del cuerpo. Trata de imitar la postura descrita.**

Espacio para pegar tus recortes

Reflexión

Tu cuerpo puede estar quieto o en movimiento.

De las imágenes que recortaste, ¿cuáles fueron las posturas más fáciles de imitar?

____

____

PARA EL ADULTO:

☐ El niño(a) realiza diferentes posturas con su cuerpo.

☐ El niño(a) pasa de una postura a otra con facilidad.

CON AMIGOS O COMPAÑEROS Y CON UN ADULTO
LUGAR CERRADO

RETO: ¿Qué le falta?

Para que reconozcas las partes de la cara y sus distintas expresiones, con la ayuda de un adulto busca en revistas o periódicos una cara y recorta la mitad. Pégala en uno de los lados de la línea que se muestra en la siguiente hoja. Dibuja la otra mitad para completarla. Pídele a un adulto o compañero que juegue contigo a adivinar distintas expresiones de la cara (triste, enojado, alegre, etcétera).

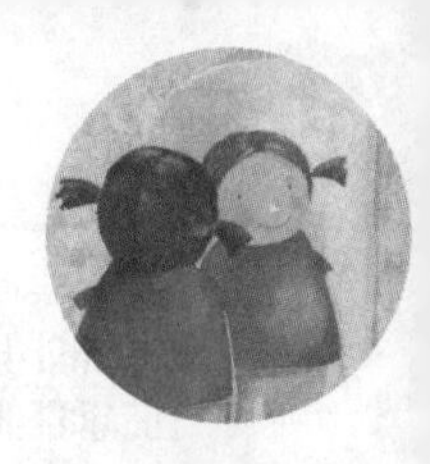

Espacio para dibujar

Reflexión

Comenta los resultados de tu dibujo con un compañero.

Generalmente, ¿qué expresión tienes en la cara?

____

____

PARA EL ADULTO:

☐ El niño(a) identifica sus propias características.

☐ El niño(a) reconoce con facilidad las expresiones de la cara.

INDIVIDUAL
LUGAR CERRADO

RETO: Nadie como yo

¡Tú ya te conoces!, ahora te sugerimos que en la siguiente hoja **te dibujes y también a un amigo o amiga. Escribe en las siguientes líneas.**

Yo me llamo: ______________________________

Mi amigo(a) se llama: ______________________________

Materiales:

Lápices de colores.

Reflexión

Enseña tu dibujo a los demás y preséntate diciendo: tu nombre, edad, el color de tu piel y de tu cabello, tus gustos y otras características que quieras mencionar.

PARA EL ADULTO:

- ☐ El niño(a) identifica algunas características físicas propias.
- ☐ El niño(a) identifica algunas características físicas de otra persona, en este caso su amigo o amiga.

CON UN ADULTO
LUGAR ABIERTO O CERRADO

RETO: Me sirve para...

Tu cuerpo tiene cinco sentidos que te ayudan a percibir el mundo: la vista, el olfato, el gusto, el oído y el tacto. **Para distinguir el uso de estos cinco sentidos, te sugerimos realizar actividades con ellos y llenar la tabla de la siguiente página.**

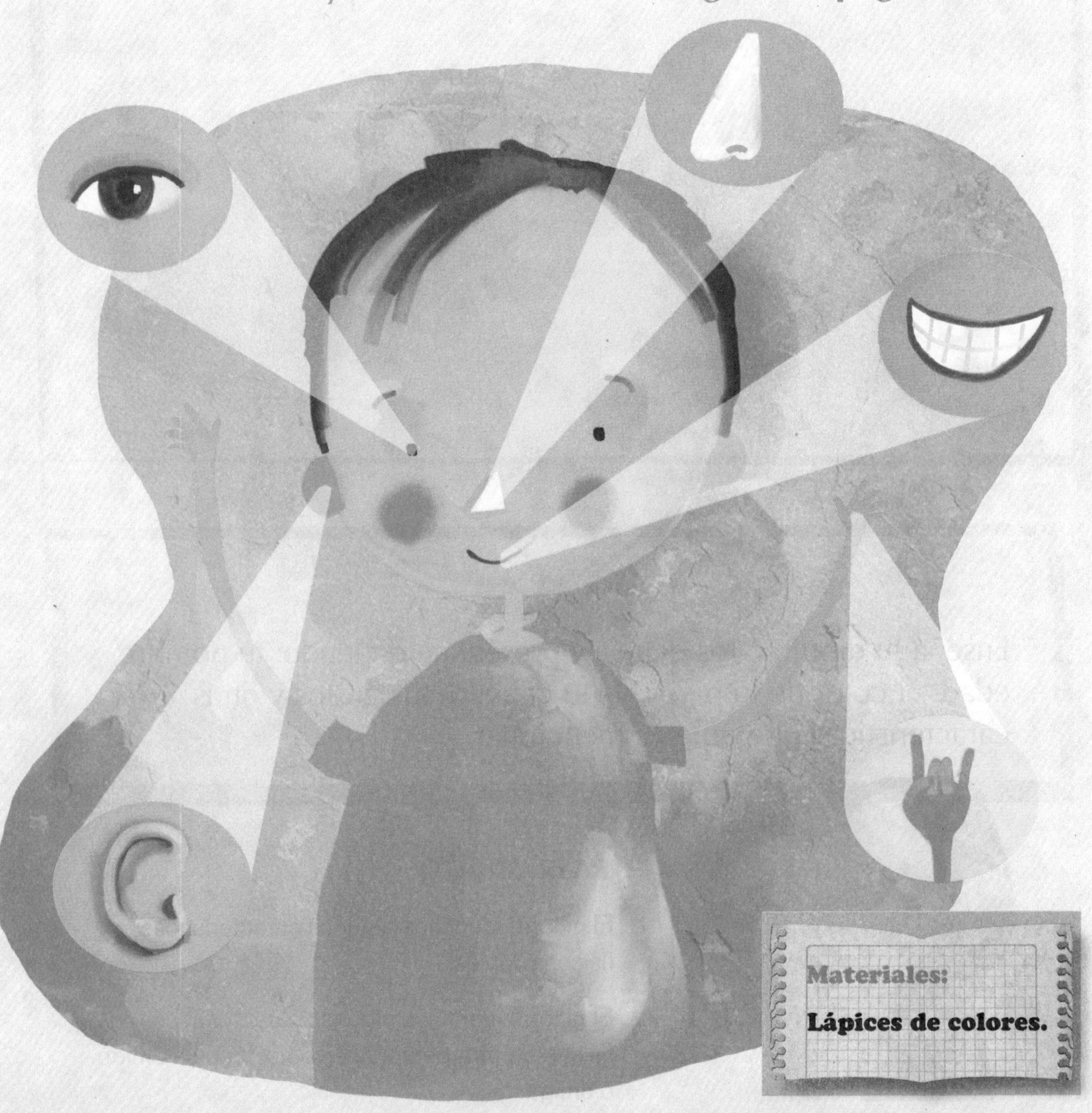

Materiales:

Lápices de colores.

¿Qué haces con este sentido?	**Realiza una actividad en la que involucres los sentidos** (El adulto registra lo que el niño hace)	**Dibuja una actividad en la que involucres cada sentido** (El niño(a) dibuja)
Vista		
Olfato		
Gusto		
Oído		
Tacto		

Reflexión

¿Qué más puedes hacer con tus sentidos? ______________________

____

PARA EL ADULTO:

☐ El niño(a) identifica los cinco sentidos.

☐ El niño(a) reconoce para qué le sirve cada uno de los sentidos.

Aventura 1

INDIVIDUAL
LUGAR CERRADO

RETO: Descubre más de tu cuerpo

Tu cuerpo también está formado por órganos internos como el corazón y los pulmones, que no podemos ver a simple vista, pero podemos sentirlos cuando hacemos ejercicio. **Une con líneas de un color los pares de palabras que corresponden a las partes externas de tu cuerpo que ves a simple vista, y une con líneas de otro color los pares de imágenes que representan las partes internas de tu cuerpo.**

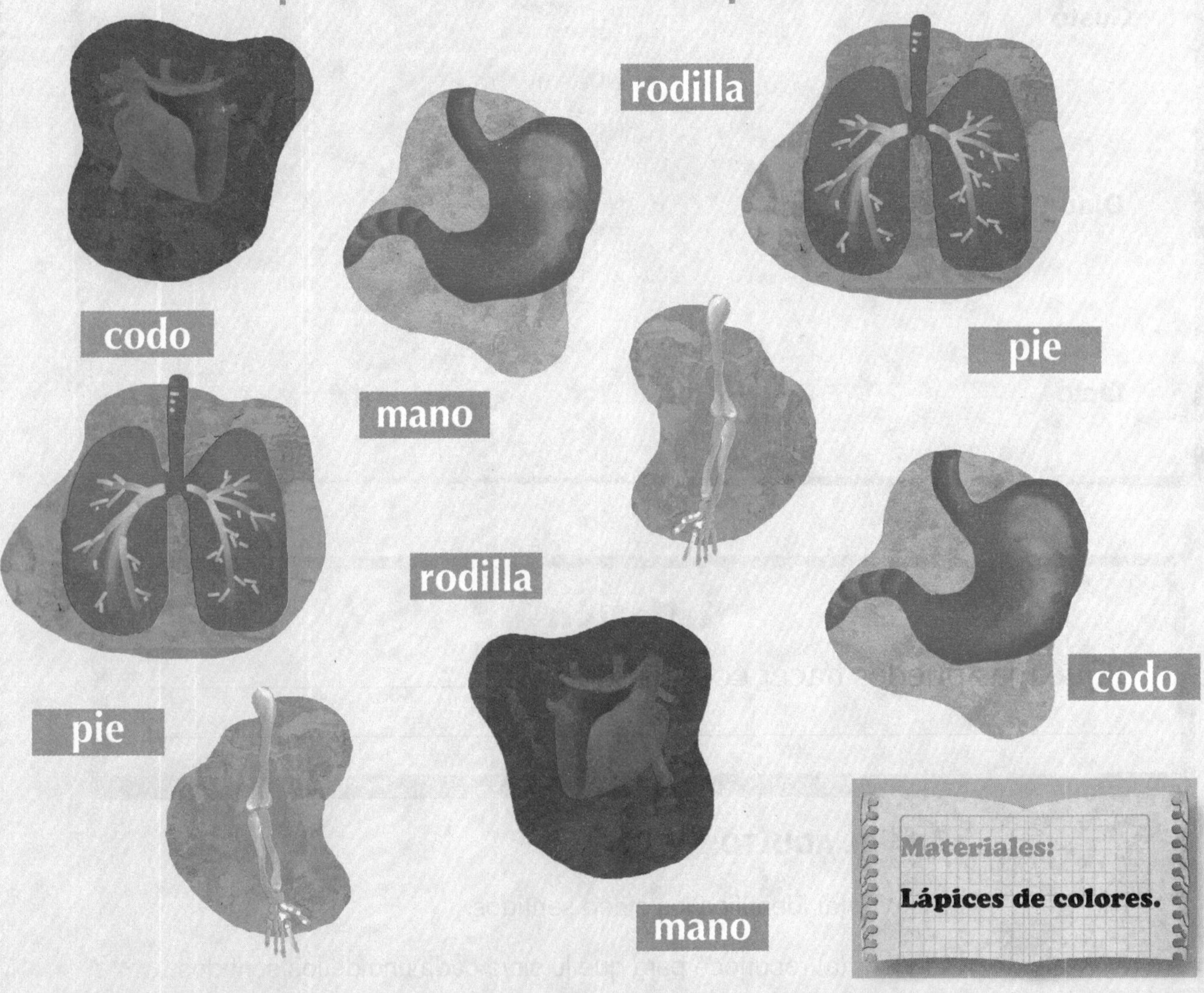

Materiales:

Lápices de colores.

Reflexión

Juega a los encantados con tus amigos, al terminar, siente el latido de tu corazón; haz lo mismo con tu respiración.

PARA EL ADULTO:

- [ ] El niño(a) reconoce que hay órganos internos en su cuerpo.
- [ ] El niño(a) identifica las sensaciones que al realizar actividad física intensa le producen sus órganos internos.

RETO: Así puedo hacerlo

En algunas actividades mueves tu cuerpo con facilidad, otras veces te resulta difícil realizar algunos movimientos. **¡Te proponemos el siguiente reto!, juega con tus amigos a los quemados, al trompo, al balero, a volar un papalote o saltar la cuerda.**

De los juegos en los que participastes, comenta con un adulto cuáles te parecieron fáciles y cuáles difíciles, pide que escriba tus comentarios en la siguiente tabla.

Juego (El adulto registra, lo que el niño dice)	**Me pareció fácil porque...** (El adulto registra, lo que el niño dice)	**Me pareció difícil porque...** (El adulto registra, lo que el niño dice)

Reflexión

Para ti, ¿cuál fue el juego más difícil? ____________________

Para ti, ¿cuál fue el juego más fácil? ____________________

PARA EL ADULTO:

- ☐ El niño(a) identifica sus logros en diferentes situaciones de juego.
- ☐ El niño(a) reconoce lo que se le dificulta en diferentes situaciones de juego.

CON UN ADULTO
LUGAR CERRADO
O ABIERTO

RETO: Frutas y verduras de mi población

El consumo frecuente de frutas y verduras favorece tu crecimiento y desarrollo. ¿Qué frutas y verduras conoces?, ¿qué frutas y verduras consumes con frecuencia? **Pídele a un adulto que te ayude a identificar las que no conoces, primero, mostrándotelas en el mercado, después, pruébalas en casa. Por último, dibújalas o búscalas en revistas o periódicos y recórtalas.**

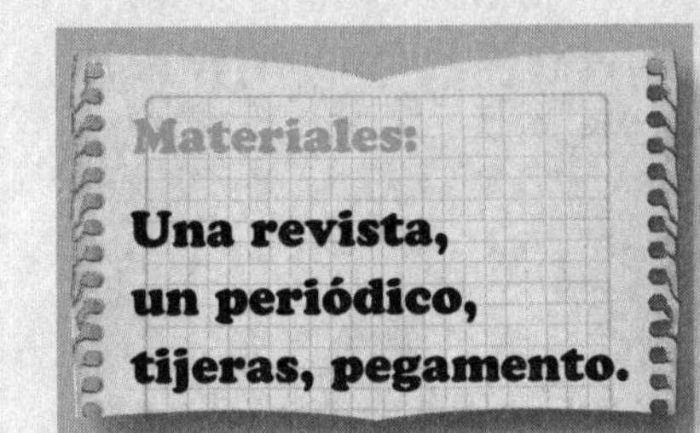

Pega tus recortes en el espacio que corresponda

Verduras	Frutas

Ahora, te proponemos que invites a tus amigos a jugar Ensalada de frutas. En este juego los participantes deberán formar un círculo o un cuadrado. Cada uno elegirá el nombre de una fruta; uno de los jugadores, adulto o niño, dirá: ¡Ensalada de…!, y mencionará dos o más frutas; los participantes al escuchar el nombre de la fruta seleccionada por ellos deberán cambiarse rápidamente al lugar de otro; así, hasta que hayan participado todos. El juego también se puede llamar Ensalada de verduras, ¡inténtalo!

Reflexión

¿Qué fruta y verdura consumes en casa? ______________________

____

____

PARA EL ADULTO:

☐ El niño(a) identifica la diferencia entre el sabor de las frutas y las verduras.

CON UN ADULTO
LUGAR CERRADO

RETO: Limpieza de pies a cabeza

Para el cuidado de nuestro cuerpo uno de los hábitos más importantes es el baño. Al bañarte eliminas gérmenes que podrían dañar tu salud. **Te proponemos un desafío: báñate con los ojos cerrados. Localiza el jabón, el estropajo y la toalla utilizando los siguientes sentidos: tacto y olfato.**

Observa tu cuerpo antes y después de un juego con actividad física intensa. En la siguiente página dibújate y describe lo que observaste.

Materiales:

Un jabón, una toalla, un estropajo, lápices de colores.

Mi cuerpo antes de bañarme	Mi cuerpo después de bañarme
______________________	______________________
______________________	______________________
______________________	______________________

Reflexión

¿Tienes el hábito de bañarte? ______________________

¿Cómo te sientes después de bañarte? ______________________

____

PARA EL ADULTO:

☐ El niño(a) reconoce la importancia de la higiene.

CON UN ADULTO
LUGAR CERRADO

RETO: Derecha, izquierda

En tu cuerpo puedes identificar el lado derecho y el izquierdo. A pesar de que éstos son casi iguales, con uno de ellos tienes más habilidad que con el otro, es decir, con ese lado te resulta más fácil realizar tus actividades.

Mano izquierda **Mano derecha**

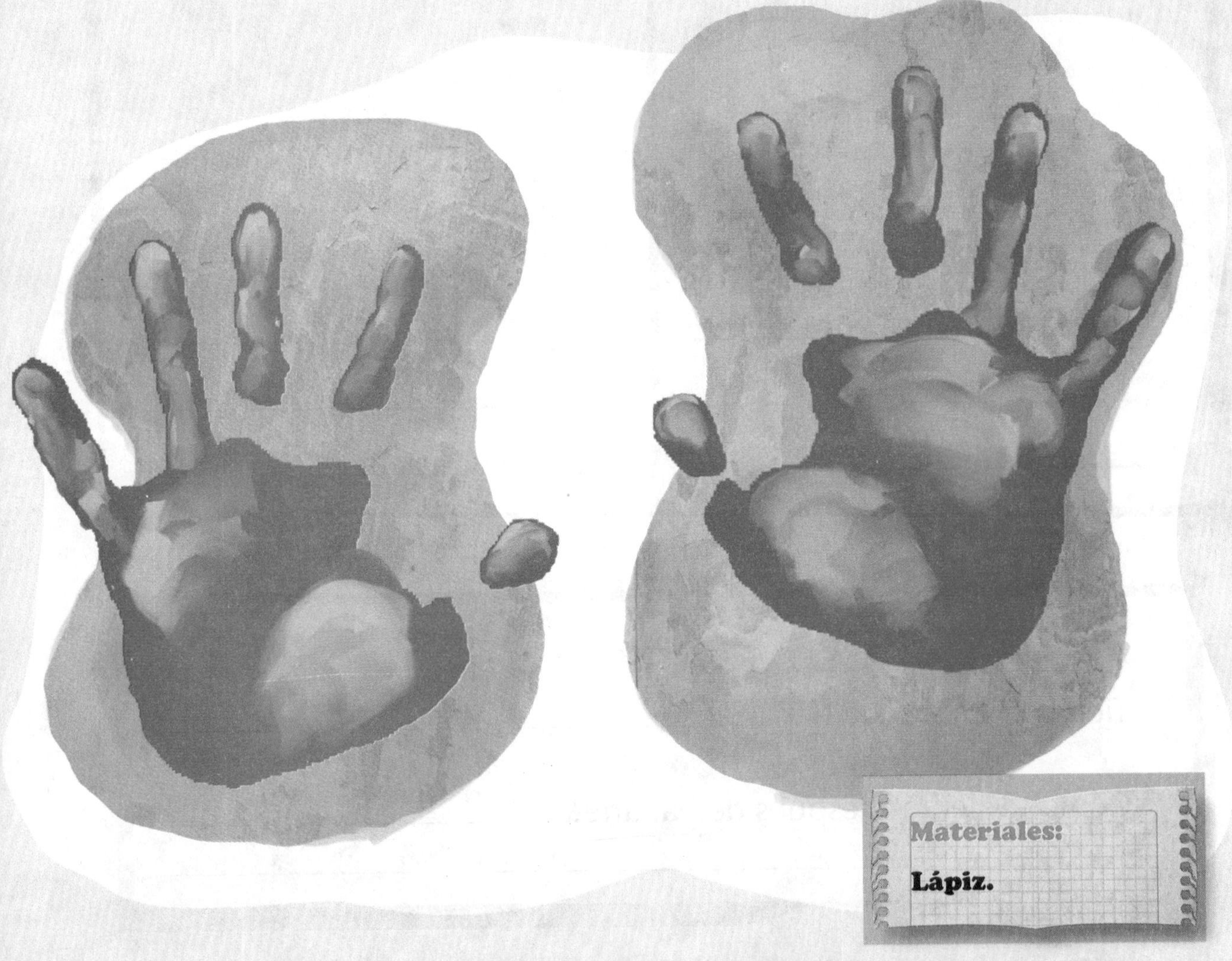

Materiales:

Lápiz.

Completa el cuadro de la siguiente página con actividades sugeridas por tu maestro o familiar y descubre el lado hábil de algunas partes de tu cuerpo.

Acción motriz	Mi lado hábil es:			
	Mano derecha	Mano izquierda	Pie derecho	Pie izquierdo
Lanzar...				
Patear...				
Jalar...				
Empujar...				
Atrapar...				
Brincar...				

Reflexión

Realiza actividades con el lado no hábil de tu cuerpo, ¡seguro te divertirás!

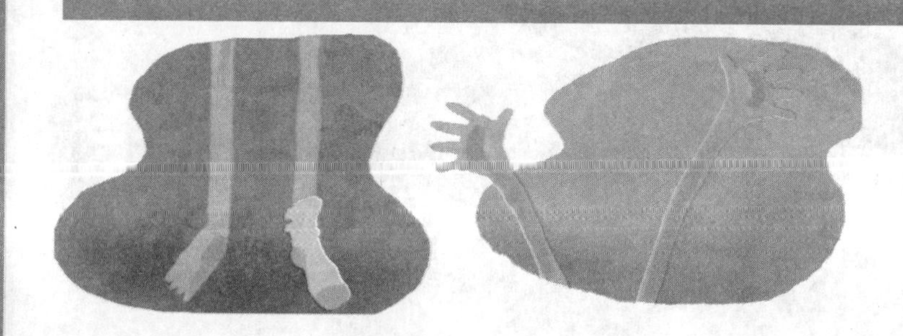

PARA EL ADULTO:

☐ El niño(a) identifica el lado hábil de su cuerpo.

INDIVIDUAL
LUGAR CERRADO

RETO: La mano que deja huella

Tu cuerpo está en constante crecimiento, y tú lo notas cuando ya no te queda la ropa o los zapatos; tus manos también crecen. Te proponemos que registres ese crecimiento.

Materiales:

Un lápiz de color.

Coloca la palma de tu mano en el recuadro, separa tus dedos ligeramente y traza el contorno con el lápiz de color.

Al término del ciclo escolar, recuerda trazar nuevamente el contorno de tu mano, para que observes tu crecimiento.

Reflexión

Otras formas de observar tu crecimiento son: ____________________

____

PARA EL ADULTO:

☐ El niño(a) identifica su crecimiento corporal.

El color de la Aventura 2 es AZUL

Aventura 2

Convivimos y nos diferenciamos

Durante el desarrollo de esta aventura te vas a dar cuenta de que existen diferencias entre las personas. Al realizar actividades de **colaboración** y convivencia con tus compañeros podrás valorar tus propias habilidades.

Propósito:
Lograr que el niño o niña comprenda que cada alumno-compañero es diferente a los demás, que cada uno piensa, siente y se expresa de manera distinta; conocer esa diferencia le permitirá reconocer mejor sus posibilidades y habilidades, y le ayudará a comprender a los demás y al contexto donde se encuentra.

Competencia: ***Expresión y desarrollo de habilidades motrices.***

Aventura 2

CON AMIGOS O COMPAÑEROS Y CON UN ADULTO

LUGAR CERRADO

RETO: Saltando juntos

Para que identifiques que cada persona tiene movimientos propios, te proponemos jugar al Avión. Pídele a un adulto que dibuje en el piso, con gis, dos aviones de tal manera que queden uno junto al otro. **Para jugar necesitas un compañero y una soga o cuerda, cada quien deberá sostener un extremo de la cuerda y realizar el recorrido del avión al mismo tiempo, sin soltarla.**

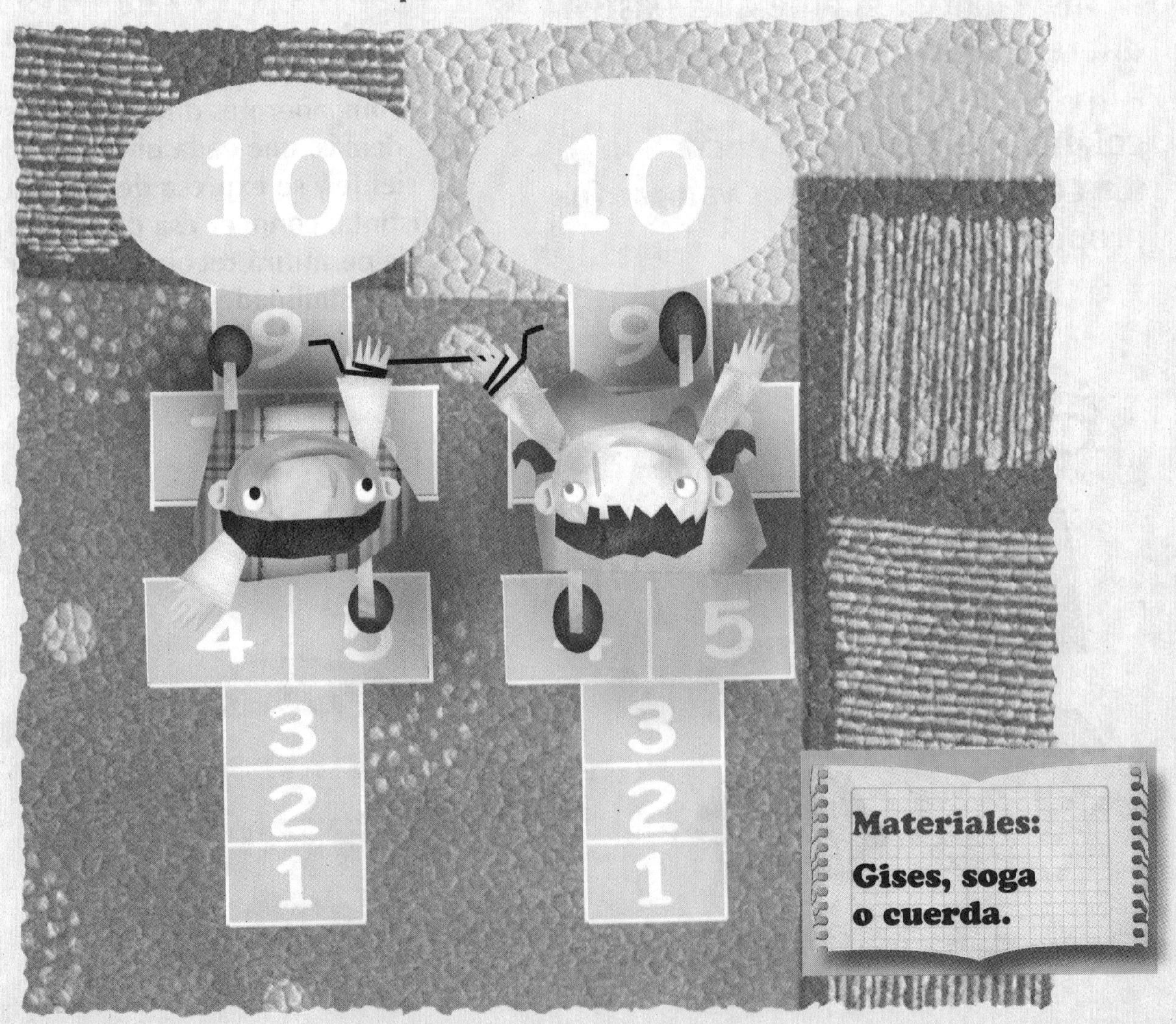

Reflexión

¿Es fácil realizar el recorrido del avión en parejas? ___________

Explica qué hicieron para solucionar las dificultades que se presentaron durante el juego.

____

____

____

Sugiere otra forma de sostener la cuerda para realizar el recorrido.

____

____

____

____

PARA EL ADULTO:

- ☐ El niño(a) respetó el ritmo de desplazamiento de su compañero.
- ☐ El niño(a) propone diferentes formas de sostener la cuerda.

CON AMIGOS O COMPAÑEROS
LUGAR ABIERTO O CERRADO

RETO: La orquesta caminante

Identifica diferentes sonidos utilizando palmadas en distintas partes de tu cuerpo, después en el cuerpo de un adulto o niño. **¿Se escuchan igual? Cuando hayas identificado los diferentes sonidos puedes intercalar palmadas en distintas partes de tu cuerpo, y de los demás, para producir sonidos y lograr una serie de ritmos sencillos.**

Reflexión

En la serie de ritmos que has creado te sugerimos que incluyas también saltos, giros, diferentes posturas o diversos apoyos.

¿Por qué los sonidos que produces con tu cuerpo y con el de tu compañero no son iguales?

____

____

____

PARA EL ADULTO:

- ☐ El niño(a) identifica los sonidos que se producen con las diferentes partes del cuerpo.
- ☐ El niño(a) produce una serie de ritmos sencillos.

CON UN ADULTO
LUGAR ABIERTO O CERRADO

RETO: La báscula y la cinta

Para que observes algunas de las diferencias que existen entre las personas, pídele a un adulto que te pese y te mida. Después compara tus resultados con los otros compañeros.

Materiales:
Una cinta métrica, una báscula, un lápiz.

Registra los resultados en el siguiente cuadro.

Nombre	Peso	Talla
Yo		
Un amigo(a) de 3o.		
Un amigo(a) de 6o.		
Tu maestro(a)		

Reflexión

Revisa los resultados de la tabla y comenta con tu grupo las diferencias que encontraron.

Esas diferencias nos hacen únicos.
Tú, ¿qué piensas?

____

____

____

PARA EL ADULTO:

☐ El niño(a) analiza las diferencias en los resultados obtenidos en la tabla.

CON AMIGOS O COMPAÑEROS Y CON UN ADULTO
LUGAR CERRADO

RETO: Nuestras diferencias

En tu salón de clases observa a quienes te rodean, todos tus compañeros son distintos, ¡has acertado!: **el tamaño de las personas, el color de la piel, el color del cabello, el color de los ojos, la manera de caminar, la voz o los gustos son diferentes. Mira bien las imágenes.**

Materiales:
Un lápiz de color.

Ahora, te invitamos a que localices en el dibujo de la página anterior y marques con tu color favorito los siguientes personajes:

- Dos niños y una niña de cabello rizado.
- Dos niñas de cabello corto.
- Un niño muy alto.
- Un niño con lentes.
- Una niña que usa silla de ruedas.
- Una niña vestida con traje típico del estado de Veracruz.
- Dos niñas de ojos rasgados y piel amarilla.
- Un niño de labios gruesos y piel negra.

Ahora pide a un adulto y a tus compañeros que jueguen contigo al cartero. Este juego se realizará en un espacio al aire libre, los integrantes se tomarán de las manos para formar un círculo, un participante, adulto o algún niño, será designado el cartero, éste se quedará afuera del círculo. El juego se desarrollará de la siguiente manera:

El cartero dirá:

–Tan, tan.

Los demás contestarán:

–¿Quién es?

El cartero dirá:

–El cartero.

Los demás contestarán:

–¿Qué trae?

El cartero dirá:

–¡Traigo cartas!

Los demás contestarán:

–¿Para quién?

El cartero dirá:

–Para... (el cartero tendrá que mencionar una característica física de alguno de los participantes).

El participante que corresponda a esa descripción, saldrá corriendo fuera del círculo; si lo atrapan se convierte en el cartero. El juego termina cuando todos los integrantes hayan ocupado el puesto de cartero.

Reflexión

¿Identificaste las diferencias de los personajes?

Escribe en las siguientes líneas algunas diferencias que identifiques entre tú y algún amigo(a).

____

____

____

____

PARA EL ADULTO:

☐ El niño(a) menciona las características físicas que lo distinguen de los demás.

INDIVIDUAL
LUGAR CERRADO

RETO: Mi colaboración es importante

La buena convivencia depende de nuestra participación colaborativa. **¿Sabes que tú puedes tomar decisiones para ayudar en las actividades diarias? Te proponemos el siguiente ejercicio: elige tres momentos del día, en la mañana, en la tarde y en la noche, puede ser en tu casa, en la escuela o en otro lugar; realiza algunas actividades en las que cooperes con los demás, después registra en un dibujo de qué manera ayudaste en cada uno de los momentos que escogiste.**

Dibuja las actividades del día.

Primer momento	Segundo momento	Tercer momento

Reflexión

¿Qué opinas sobre ayudar a los demás? ______________________

Las actividades que realizaste implican movimientos, describe algunos:

____

____

PARA EL ADULTO:

☐ El niño(a) se muestra colaborativo en las actividades del hogar.

☐ El niño(a) ayuda a sus compañeros cuando es necesario.

CON AMIGOS O COMPAÑEROS
LUGAR ABIERTO

RETO: Gotitas saladas

También existen **algunas diferencias internas entre tu cuerpo y el de los demás, que podemos ver y sentir durante y después de realizar juegos o actividades intensas.**

Te recomendamos que durante la clase de Educación Física observes qué ocurre en tu cuerpo y en el de tus compañeros, después de un ejercicio intenso. Registra tus observaciones en la siguiente tabla:

¿Qué ocurrió en mi cuerpo?	¿Qué ocurrió en el cuerpo de mis compañeros?

Reflexión

Investiga con tu maestro o en la biblioteca de la escuela por qué se produce el sudor.

____

____

____

____

PARA EL ADULTO:

☐ El niño(a) logra identificar las causas del sudor.

CON UN ADULTO
LUGAR ABIERTO

RETO: De día y de noche

Todos los días realizas cosas que aparentemente son iguales: levantarte por las mañanas, bañarte, ir a la escuela, hacer la tarea, comer. **Si te pones a reflexionar sobre estas acciones te darás cuenta de que existe un tiempo o un lugar diferente: mañana, tarde o noche; en la casa o en la escuela.**

Materiales:

Lápiz, una sábana, una soga.

Este reto es muy sencillo, observa detenidamente y utiliza tu imaginación. ¡Empecemos!

Observa y decide qué orden le corresponde a las imágenes, asígnales un número (1, 2, 3 o 4), según la secuencia.

Ahora, con la ayuda de un adulto construye un refugio semejante al de la imagen de abajo. Utiliza materiales sencillos, como una soga y una sábana, procura que sea un lugar seguro.

Reflexión

Los niños empezaron a instalar su refugio por la:

____

Los niños terminaron de colocar su refugio por la:

____

PARA EL ADULTO:

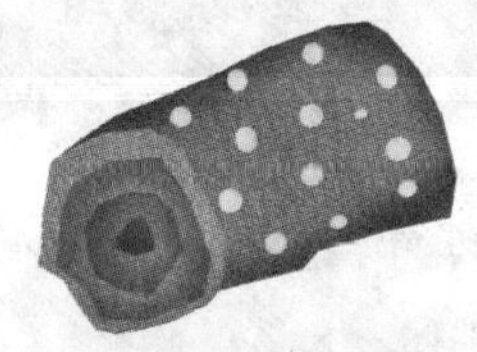

☐ El niño(a) organiza fácilmente las secuencias de las imágenes.

☐ El niño(a) identifica las actividades que se realizan por la mañana, por la tarde y por la noche.

El color de la Aventura 3 es VERDE

Aventura 3

Lo que puedo hacer con mi cuerpo

En esta aventura descubrirás distintas posibilidades de movimiento con tu cuerpo y, al mismo tiempo, explorarás tu entorno a través de retos creativos, al **interactuar** con familiares y amigos.

Propósito:
Ofrecer al alumno opciones para que perciba su cuerpo al interactuar con el entorno, creando nuevas situaciones motrices que le permitan mejorar su equilibrio, su orientación espacial, temporal, lateralidad y su coordinación motriz.

Competencia: ***La corporeidad como manifestación global de la persona.***

Aventura 3

CON AMIGOS O COMPAÑEROS
LUGAR ABIERTO O CERRADO

RETO: La sombra que me asombra

Durante un día soleado, busca tu sombra, **siempre vas a encontrarla muy cerca de ti. Mueve distintas partes de tu cuerpo y obsérvala; inventa posiciones chuscas; observa el tamaño de tu sombra y compárala con las de tus compañeros; juega a pisar la sombra de otro, evitando que la tuya sea pisada.**

Reflexión

Juega con tus compañeros a inventar otras figuras con sus sombras.

Observa tu sombra en distintos momentos del día. ¿Qué cambios descubriste?

____

____

PARA EL ADULTO:

- ☐ El niño(a) hace un reconocimiento del tamaño de su sombra con respecto a la de sus compañeros de juego.
- ☐ El niño(a) mantiene el equilibrio durante el juego de pisar la sombra.

Aventura 3

CON UN ADULTO
LUGAR ABIERTO

RETO: Construyendo pistas

Esta actividad es muy parecida al juego del Avión, **sin embargo, aquí tú decides cómo hacer los saltos. Fíjate bien en el ejemplo:**

Pista número 1

Si te fijas bien, el Avión tradicional tiene diez recuadros y el de la Pista número 1 tiene 12 recuadros, sin embargo, en los dos aviones el número de saltos que debes realizar es de ocho. Solicita la ayuda de un adulto y dibújalos en el piso y... ¡atrévete a saltarlos!

Ahora es tu turno para diseñar dos nuevas pistas de avión. Primero dibújalas en la siguiente página en los espacios que corresponden a la Pista número 2 y a la

Pista número 3. Tú decides el número de saltos, después pide ayuda para trazar tus diseños en el piso. Ahora puedes empezar a jugar.

Pista número 2	Pista número 3

Reflexión

¿En qué situaciones de tu vida cotidiana necesitas realizar saltos?

____

____

PARA EL ADULTO:

- ☐ El niño(a) ¿es creativo al modificar las pistas?
- ☐ El niño(a) mantiene el equilibrio durante el juego al saltar las pistas.

Aventura 3

CON UN ADULTO
LUGAR CERRADO

RETO: Dibujando en la espalda

¡Sabemos que te gustan los retos! **Pide a un adulto que seleccione uno de los trazos que se presentan abajo. Explícale que sin decirte cuál eligió, lo trace con un dedo en tu espalda. Trata de adivinar cuál es y dibújalo en la página que sigue.**

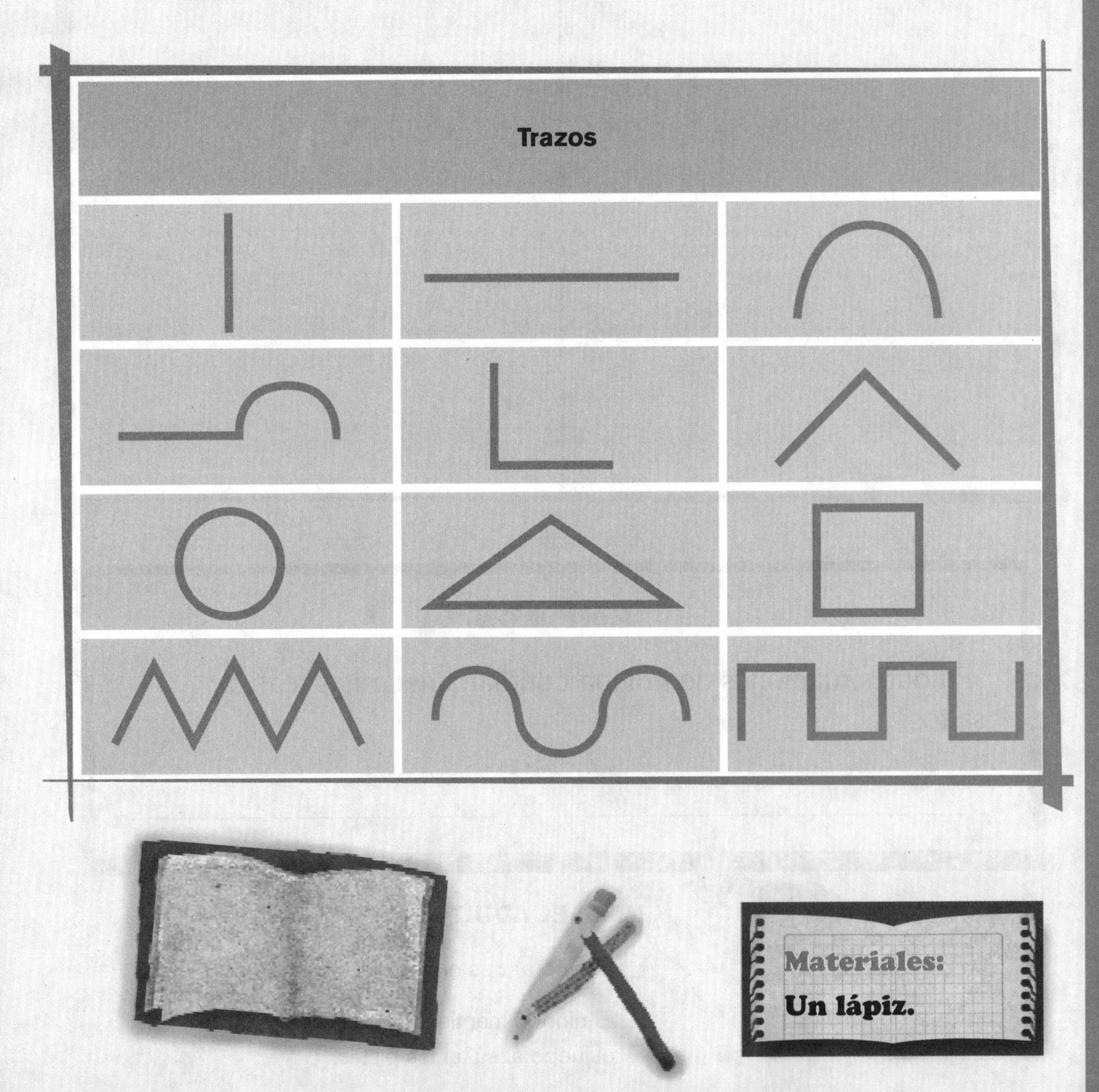

Mis trazos

Reflexión

Es tu turno de hacer trazos en la espalda de un adulto.

PARA EL ADULTO:

- ☐ El niño(a) siente y registra información a través de su cuerpo.
- ☐ El niño(a) reconoce casi todos los trazos que se le presentaron.

CON UN ADULTO
LUGAR CERRADO

RETO: Siento tus corazonadas

Todos los seres humanos **tienen un corazón, su función es enviar sangre a todo el cuerpo. ¿Qué le pasa al corazón cuando los movimientos que se realizan son lentos?, ¿qué le sucede cuando son muy rápidos? ¡Vamos a averiguarlo!**

Familiar (El adulto registra)	**Actividad realizada** (El adulto registra)	**El latido se siente...** (El adulto registra)
En reposo		
En actividad intensa		

Pídele a un familiar que te permita sentir los latidos de su corazón.

Primero deberá estar en reposo y tranquilo, pon tu mano en su pecho y siente los latidos de su corazón. Dile a un adulto que registre en la tabla lo que sentiste. Ahora dile a tu familiar que realice una actividad intensa, como correr o saltar; vuelve a poner tu mano en su pecho. Dile a un adulto que registre lo que sentiste.

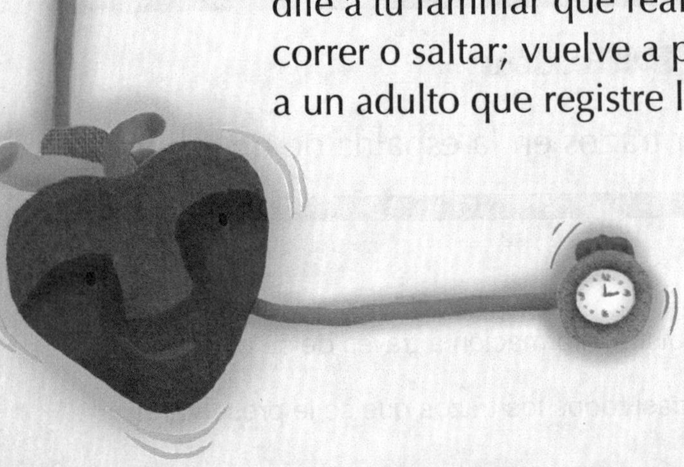

Reflexión

Ahora es tu turno, siente tu corazón y compara tus latidos cuando estás en reposo y después de realizar alguna actividad física intensa.

¿Qué diferencias encontraste?

____

____

PARA EL ADULTO:

- [ ] El niño(a) establece la diferencia entre los latidos del corazón en reposo y después de una actividad física intensa.

RETO: Ranitas saltarinas

En tu cuerpo existe la energía, te invitamos a descubrirla al realizar la siguiente actividad:

Utiliza la mitad de una hoja, córtala en trocitos del tamaño de tus uñas, con un lápiz píntale dos puntos negros a cada trocito, como si fueran ojitos. Los trocitos de papel serán tus ranitas. Haz un montoncito sobre la mesa con las ranitas. Péinate varias veces con un peine de plástico, inmediatamente después pásalo por encima de las ranitas y observa lo que sucede.

Materiales:

Un peine de plástico, trocitos de papel del tamaño de la uña, un lápiz.

Reflexión

Pregúntale a un adulto ¿de qué otra manera puedes percibir la energía en tu cuerpo?

____

____

PARA EL ADULTO:

- ☐ El niño(a) se interesa por aprender más sobre su cuerpo y su entorno.
- ☐ El niño(a) elabora explicaciones propias de lo que sucede en la actividad.

CON UN ADULTO
LUGAR ABIERTO
O CERRADO

RETO: Midiendo fuerzas

Cada vez que empujas, jalas o cargas algo, estás utilizando tu fuerza. Para realizar tus actividades diarias necesitas la fuerza casi en todo momento, al abrir la llave del agua, al patear un balón, al cargar la mochila, cuando paseas en bicicleta, cuando te cuelgas de la rama de un árbol, etcétera. Ahora, vamos a comprobar cuándo utilizas más fuerza. Realiza las siguientes actividades:

Materiales:

Una cubeta con agua.

De las cuatro actividades, ¿en cuál crees que necesitaste más fuerza? ______________________________

____

Reflexión

¿En tu vida diaria realizas actividades que sientes que superan tus fuerzas?

____

____

Te recomendamos no realizar actividades en las que requieras un esfuerzo mayor del que tu cuerpo puede llevar a cabo, ya que esto te puede ocasionar lesiones y detener tu crecimiento.

PARA EL ADULTO:

- [ ] El niño(a) reconoce que aplica diferente fuerza, dependiendo de la actividad que se realiza.

CON AMIGOS O COMPAÑEROS
LUGAR ABIERTO

RETO: A tu medida

En esta actividad tienes la oportunidad de medir distancias utilizando tu propio cuerpo, para ello vamos a jugar lo siguiente:

Materiales:

Gises, una moneda.

El primer jugador lanzará una moneda tratando de que ésta caiga sobre la línea de la meta, si no lo logra tendrá que medir con cuartas (cuarta es la medida de la mano que abarca de la punta del dedo pulgar hasta la punta del dedo meñique con la mano extendida)

la distancia que separa su moneda de la línea de meta. Los demás jugadores, al llegar su turno, realizarán su lanzamiento y la correspondiente medición. Ganará el competidor cuya moneda esté más cerca de la línea de la meta.

Reflexión

¿Cuántas cuartas hay de distancia entre la línea de salida y la moneda más cercana? ______________________

¿Cuántas cuartas hay de distancia entre la línea de meta y la moneda más alejada? ______________________

Utiliza otras partes de tu cuerpo para medir las distancias, por ejemplo el pie o el antebrazo.

PARA EL ADULTO:

- ☐ El niño(a) utiliza diferentes partes de su cuerpo para realizar medidas.
- ☐ El niño(a) propicia la interacción respetuosa con sus compañeros para establecer acuerdos.

Aventura 3

CON AMIGOS O COMPAÑEROS

LUGAR CERRADO

RETO: La oca del planeta

Al participar en este juego de mesa, llamado La oca del planeta, **reconocerás algunas de las posibilidades que tienes de intervenir en el cuidado del medio ambiente. Consigue un dado e invita a jugar a tus compañeros. Encontrarán las instrucciones para jugar** **en la página 72.**

Materiales:

Un tablero de la oca, fichas de colores, un dado.

Pídele a un adulto que juegue con ustedes para que los oriente en sus respuestas.

Cada jugador tendrá una ficha de color, con la cual avanzará un número de casillas determinado, dependiendo del número de puntos obtenidos al lanzar el dado.

Cuando la ficha de algún jugador cae en las casillas número 5, 11 o 15 de la oca (ganso), éste volverá a avanzar el mismo número de casillas, según el número de puntos de la última vez que lanzó el dado.

Cuando la ficha de algún jugador cae en las casillas número 6, 10, 12 o 16, éste deberá comentar cómo se afecta el medio ambiente con la acción que aparece en la casilla en la que se encuentra su ficha.

Cuando la ficha de algún jugador cae en las casillas número 1, 3, 8, 17 o 21, el jugador en turno deberá imitar con su cuerpo el movimiento del animal en riesgo de extinción que aparece en la casilla en la que se encuentra su ficha.

Cuando la ficha de algún jugador cae en las casillas número 4, 9, 14, 18 o 20, el jugador en turno deberá elegir a un compañero y hacerle una pregunta relacionada con la imagen de la casilla en la que cayó su ficha.

Cuando la ficha de algún jugador cae en las casillas número 2, 7, 13 o 19, éste deberá comentar algo sobre la imagen de la casilla en la que está su ficha.

Reflexión

¿Cuáles son los principales factores que contaminan tu comunidad?

____

____

____

¿Qué puedes hacer para beneficiar el medio ambiente?

____

____

____

PARA EL ADULTO:

☐ El niño(a) distingue los efectos negativos del deterioro ambiental.

☐ El niño(a) reconoce posibles acciones para preservar el medio ambiente.

El color de la Aventura 4 es MORADO

Aventura 4

¡Puedes hacer lo que yo hago!

En esta aventura encontrarás diferentes retos que te permitirán descubrir otras formas de juego, pero además podrás invitar a tus compañeros para que construyan nuevos retos y pongan a prueba sus habilidades.

Propósito:
Hacer que el alumno identifique las diferentes formas de ejecutar movimientos coordinados, a través de actividades expresivas, lúdicas, agonísticas y creativas. Con ello muestra sus posibilidades y propone retos a sus compañeros.

Competencia: ***La corporeidad como manifestación global del cuerpo.***

Aventura 4

CON UN ADULTO
LUGAR ABIERTO O CERRADO

RETO: Las hojas de colores

En este reto te invitamos a combinar diferentes movimientos de tu cuerpo como: correr, saltar, lanzar, girar, rodar, gatear y muchos más. **Pídele a un adulto que te acompañe y juegue contigo. Corta una hoja blanca en cuatro partes iguales, colorea una de rojo, otra de verde, la siguiente de azul y la última de amarillo.**

Cada color indica un movimiento, por ejemplo:

- **La roja, saltar con un pie.**
- **La verde, correr.**
- **La azul, girar en tu lugar.**
- **La amarilla, gatear.**

Materiales:

Hojas, lápices de colores.

Entrégale a tu compañero de juego las cuatro hojas que coloreaste; él, sin hablar, te las mostrará una por una, para que realices el movimiento indicado en el código.

Ahora, pídele que te muestre hojas de dos colores al mismo tiempo. Tú deberás decidir cómo combinar los movimientos para que resulten rápidos y ligeros, es decir, para que te muevas con agilidad. Puedes incluir más hojas con otros colores, con más códigos de movimiento. Después de un rato, cambien de rol: tu compañero deberá realizar los movimientos y tú le tendrás que mostrar las tarjetas.

Reflexión

¿De las combinaciones de movimientos que efectuaron hay alguna que tú y tu familia realicen durante las actividades diarias?

____

____

PARA EL ADULTO:

- ☐ El niño(a) ejecuta sin dificultad los códigos establecidos en la actividad.
- ☐ El niño(a) identifica los movimientos básicos (caminar, correr, saltar, rodar, lanzar algún objeto).

CON AMIGOS O COMPAÑEROS

LUGAR ABIERTO O CERRADO

RETO: Piedras y plumas

En este reto deberás representar, mediante **los movimientos de tu cuerpo, la pesadez de una roca grande o la ligereza de una pluma de ave; para ello, vas a necesitar la ayuda de un compañero de juego.**

Materiales:

La tapadera de una olla de aluminio, una palita de madera.

Tu compañero deberá tener la tapadera de una olla de aluminio o peltre y una palita de madera, y ubicarse detrás de ti; cuando él golpee con la palita de madera la orilla de la tapadera, tú deberás responder con movimientos ligeros, pero si golpea el centro de la tapadera, tendrás que responder con movimientos pesados.

Primero mueve sólo la cabeza, los brazos, el tronco o las piernas, después, inténtalo con todo tu cuerpo, no te limites, ¡deja que fluya el movimiento!

Reflexión

¿Notaste algún cambio en la rigidez y la flexibilidad de tus músculos? Intenta describirlo.

____

____

____

____

PARA EL ADULTO:

☐ El niño(a) ejecuta sin dificultad la tensión y relajación de su cuerpo.

Aventura 4

CON AMIGOS O COMPAÑEROS
LUGAR ABIERTO O CERRADO

RETO: Adivinanzas en movimiento

Para este reto necesitarás por lo menos tres compañeros de juego. Deberán formar dos equipos. Un miembro de uno de los equipos tratará de comunicar con sus movimientos alguna de las siguientes acciones: andar en bici, pescar, bañarse, barrer, bailar, nadar. **El otro equipo tendrá que adivinar. Después cambiarán el rol de los equipos. Esta dinámica es sólo un ejemplo, puedes inventar otras en las que también se tenga que utilizar la** mímica.

Materiales:
Un lápiz.

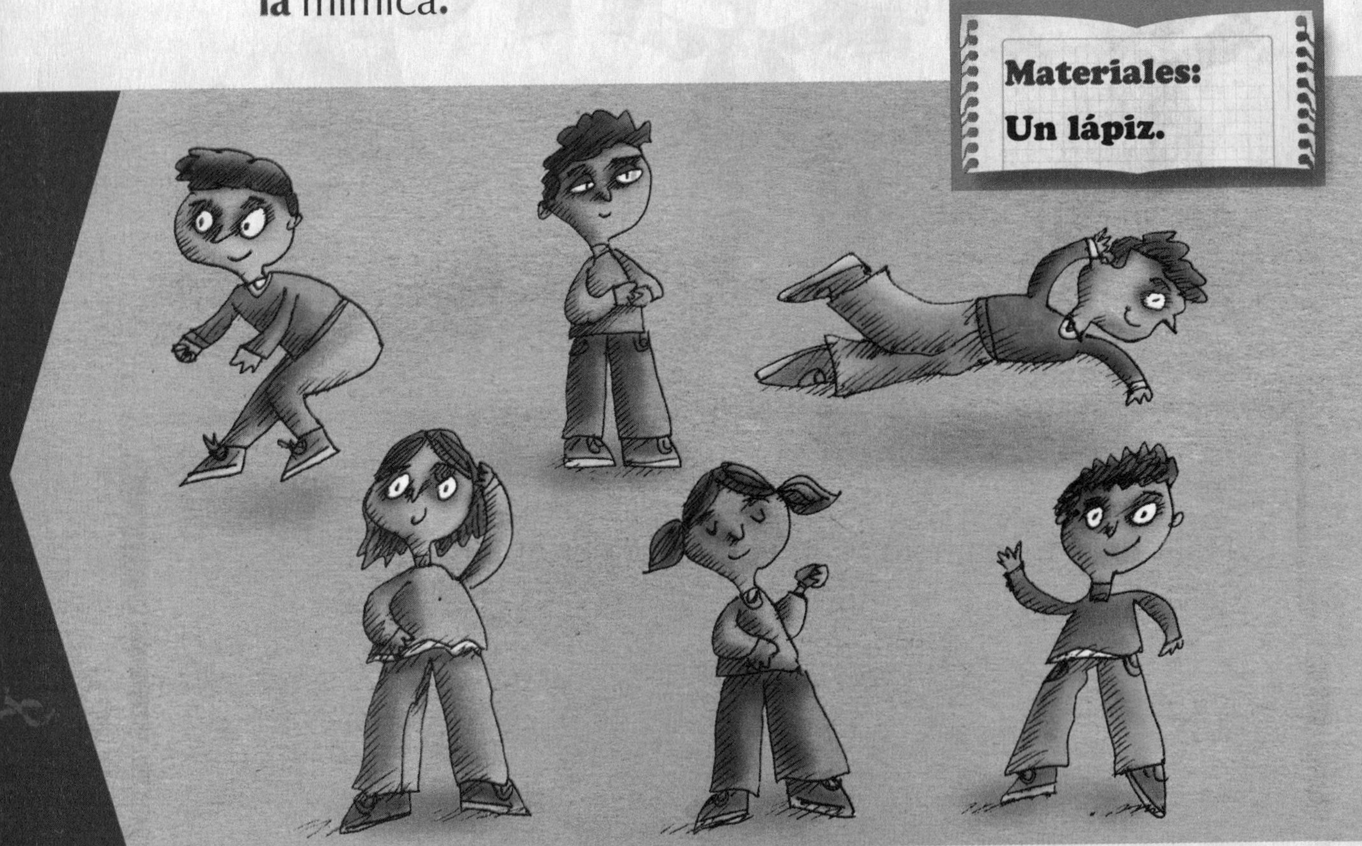

Al equipo que logre adivinar la actividad que se está representando, se le otorgará un punto, ganará el equipo que reúna más puntos.

Reflexión

¿Te pareció difícil expresarte sin utilizar las palabras? ________

¿Por qué?

____

____

____

PARA EL ADULTO:

- ☐ El niño(a) se expresa utilizando únicamente el movimiento de su cuerpo.
- ☐ El niño(a) se integra con otros amigos para jugar.

Aventura 4

CON AMIGOS O COMPAÑEROS
LUGAR ABIERTO O CERRADO

RETO: Boliche veloz

Cuando tú lanzas algo, puedes controlar la velocidad con la que lo haces. **Es decir, tus lanzamientos pueden ser lentos o rápidos.**

En este reto podrás descubrir las distintas velocidades con las que puedes lanzar una pelota hacia un lugar definido. Utiliza cinco botellas de plástico. Te recomendamos que invites a tus amigos a participar.

Materiales:

Una pelota de plástico, gises, cinco botellas de plástico.

Primero traza una línea en el piso, a partir de ésta camina diez o más pasos, ahí coloca las cinco botellas de plástico, agrúpalas de la manera que desees. Desde la línea marcada en el piso, el jugador en turno lanzará la pelota para tratar de derribar la mayor cantidad de botellas con un solo lanzamiento. Antes de cada ronda, deberán ponerse de acuerdo si los lanzamientos serán lentos o rápidos. Ganará el jugador que tire la mayor cantidad de botellas en un solo tiro.

Otra forma interesante de jugar este reto puede ser utilizando la mano derecha y la izquierda alternadamente, también puedes cambiar la posición de las botellas para que resulte más divertido. ¡Inténtalo!

Reflexión

Comenta con tus amigos, ¿en qué momento utilizan movimientos rápidos con su cuerpo?

____

____

Identifica con cuál de tus manos lanzaste mejor y por qué.

____

____

PARA EL ADULTO:

- ☐ El niño(a) identifica cuando realiza un movimiento lento.
- ☐ El niño(a) identifica cuando realiza un movimiento rápido.

CON UN ADULTO
LUGAR ABIERTO O CERRADO

RETO: Ojos cerrados

Qué te parece si en este reto analizas el sentido de la vista. **Identifica la importancia que tiene en lo que haces diariamente. Pídele a un adulto que te cubra los ojos para experimentar algunas de las siguientes actividades:**

Materiales:
Un paliacate.

Ahora invita a alguien de tu familia a experimentar estas sensaciones.

Reflexión

¿Cómo te sentiste al realizar las actividades con los ojos vendados?

____

____

____

¿Por qué es importante la vista en tus actividades cotidianas?

____

____

____

PARA EL ADULTO:

- ☐ El niño(a) realiza con confianza sus desplazamientos.
- ☐ El niño(a) dialoga con sus compañeros sobre lo que sintieron y la importancia que le dan a este sentido.

CON AMIGOS O COMPAÑEROS
LUGAR ABIERTO

RETO: Uñitas

Este juego lo vas a realizar en pareja, **así que necesitas un compañero o compañera que sea más o menos de tu mismo tamaño y peso. Párense uno frente al otro, extiendan los brazos, uno de ustedes ponga las palmas de las manos hacia arriba y el otro hacia abajo, ahora, enganchen sus manos fuertemente con los dedos.**

En este juego ustedes tienen el control de la velocidad, empiecen a girar lentamente y vayan acelerando según deseen, pueden mantener la misma velocidad o disminuirla poco a poco. Para evitar accidentes tengan mucho cuidado de no soltarse durante el ejercicio y hacerlo en un espacio sin obstáculos.

Reflexión

¿Cómo fueron incrementando la velocidad en esta actividad?

____

____

¿Qué sentiste en tu cuerpo al girar a gran velocidad?

____

____

____

PARA EL ADULTO:

- ☐ El niño(a) identifica cómo utilizar las velocidades.
- ☐ El niño(a) procura la seguridad de su compañero.

CON AMIGOS O COMPAÑEROS

LUGAR ABIERTO

RETO: La carrera de la taparrosca

Muchas veces compartimos con nuestros compañeros y compañeras de juego distintos desafíos. **Con esta actividad pondrán a prueba sus habilidades. Cada participante deberá conseguir tres taparroscas del mismo color. Marquen una línea de salida y a cinco pasos de ésta coloquen una silla que servirá como meta; cada jugador tendrá tres oportunidades para lanzar sus taparroscas.**

Materiales:

Taparroscas de diferentes colores, una silla.

Para realizar el lanzamiento, cada participante deberá avanzar de cojito y golpear con la punta del pie la taparrosca, tratando de que quede justo debajo de la silla. Si no lo logra, cuando llegue de nuevo su turno volverá a tirar desde donde se haya quedado su taparrosca hasta conseguir colocarla con precisión debajo de la silla.

También se podrá variar la distancia entre la línea de la salida y la silla; cojear con el pie derecho o con el izquierdo o incluso pueden formar parejas para lograr colocar las taparroscas en el lugar deseado: ustedes pueden fijar las reglas.

Reflexión

Con tus compañeros, busca otras posibilidades para jugar con las taparroscas.

¿Qué necesitas para jugar con éxito esta actividad?

___

___

___

PARA EL ADULTO:

- ☐ El niño(a) participa on juegos que le representen retos.
- ☐ El niño(a) respeta los acuerdos y reglas en los juegos.

Aventura 4

CON UN ADULTO
LUGAR ABIERTO
O CERRADO

RETO: Rally enigmático

Un **rally** es un recorrido que debes realizar a partir de ciertas instrucciones que recibes en hojas de papel, **llamadas también pistas. En esta actividad es muy importante la participación de un adulto para que escriba las instrucciones y coloque las pistas en diferentes áreas de tu casa.**

El siguiente ejemplo ayudará al adulto a elaborar las pistas.

1a. pista:	Ve al lugar donde se lava la ropa y contesta la pregunta: ¿cuánto es ocho más tres?

Cuando responda correctamente se le entrega la siguiente pista.

2a. pista:	Busca el lugar donde te acuestas a descansar por las noches y baila unos pasitos modernos.

Cuando realice esta actividad se le entrega la siguiente pista.

3a. pista:	Busca el lugar donde se encuentra una persona que quieres mucho, dale un abrazo y pide la siguiente pista.

El número de pistas será mayor de tres y tiene que incluir aspectos afectivos, de conocimientos y de habilidades motrices.

Reflexión

¿Qué pista fue la más difícil de localizar?

____

¿Qué actividad fue difícil realizar o qué pregunta fue difícil contestar? ______________________________

____

Es muy divertido localizar pistas, y es muy grato saber que el trabajo en equipo da mejores resultados, no olvides darle las gracias al adulto que te apoyó en este reto.

PARA EL ADULTO:

- ☐ El niño(a) ubica con facilidad los espacios de la casa.
- ☐ El niño(a) ejecuta con facilidad las tareas motrices.

El color
de la Aventura 5
es
VERDE

Aventura 5

De mis movimientos básicos al juego

Esta aventura te permitirá explorar y descubrir que mediante la combinación de movimientos simples: correr, saltar, lanzar, atrapar, etcétera, puedes mejorar tu desempeño y conducta motriz al enfrentar retos en tus actividades diarias, tanto en la escuela, como con tu familia.

Propósito:
Permitir que el alumno desarrolle patrones básicos de movimiento, participando en actividades lúdicas, cuya naturaleza se construya de sus propios desempeños motrices. Experimente situaciones novedosas y formas diversas de locomoción, propulsión y estabilidad de ellos.

Competencia: ***Expresión y desarrollo de habilidades y destrezas motrices.***

CON AMIGOS O COMPAÑEROS
LUGAR ABIERTO O CERRADO

RETO: La caja móvil

En esta ocasión el desafío consiste en introducir unas pelotas de papel en una caja de cartón en movimiento. **Para que la caja se deslice por el piso, dos de los participantes tendrán que jalarla, de manera coordinada, por medio de dos cordones atados a cada lado de la caja. Cuando el participante en turno lance sus pelotas tratando de atinar, deberá actuar con precisión y mayor rapidez que sus compañeros, que moverán la caja con la intención de evitar que entre la pelota.**

Inviten a familiares o amigos a jugar con ustedes; pueden pensar en diferentes variantes, como cambiar la distancia a la que se realiza el lanzamiento, modificar la velocidad del lanzamiento, alternar la mano con la que lanzan las pelotas (derecha o izquierda), usar una caja más grande o más pequeña, reducir o aumentar el tamaño de las pelotas.

Reflexión

Observa y explora:

Lanzar y atrapar son acciones frecuentes.
Observa en qué situaciones de la vida diaria las utilizas.
Comenta y practica con tus compañeros otras maneras de lanzar y atrapar las pelotas.

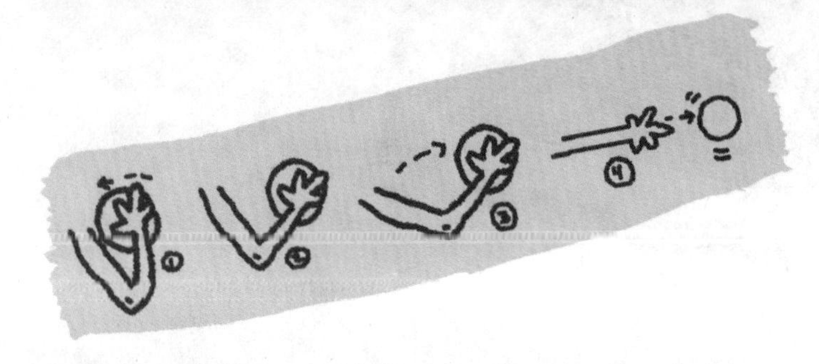

PARA EL ADULTO:

- ☐ El niño(a) introduce la pelota de papel dentro de la caja cuando está en movimiento.
- ☐ El niño(a) lanza de diferentes formas la pelota a la caja.

Aventura 5

INDIVIDUAL
LUGAR ABIERTO O CERRADO

RETO: Pies saltarines

En este reto **pondrás a prueba tus habilidades para saltar de diferentes formas, por ejemplo:**

En esta hoja dibuja los saltos que inventaste.

Reflexión

Invita a alguien para que te ayude a superar tus retos y te sugiera otros más difíciles.

Lo importante es divertirse, y evitar accidentes.

PARA EL ADULTO:

- ☐ El niño(a) salta la cuerda de diferentes formas.
- ☐ El niño(a) comparte su espacio de juego con otras personas.

CON AMIGOS O COMPAÑEROS
LUGAR ABIERTO O CERRADO

RETO: Carreritas

En la vida diaria te desplazas frecuentemente a diferentes lugares. **En ocasiones lo haces lentamente, como en un paseo, otras veces lo haces rápidamente, como en una carrera o como cuando ya se te hizo tarde.**

En este reto te invitamos a que te desplaces sobre diferentes materiales. Busca banquetas, rieles, vigas, troncos, piedras que veas en el camino, para que avances sobre ellas tan rápido o tan lento como quieras. ¡Debes hacerlo con mucho cuidado para evitar una caída!

Invita a tus amigos a demostrar sus habilidades y a inventar nuevas formas de jugar utilizando estos retos.

Reflexión

¿Cómo percibes tu desempeño en este reto?

____

¿Quién logró un desplazamiento continuo sin perder el equilibrio, de forma lenta y rápida?

____

PARA EL ADULTO:

- ☐ El niño(a) mantiene el equilibrio en un desplazamiento rápido.
- ☐ El niño(a) mantiene el equilibrio en un desplazamiento lento.

CON UN ADULTO
LUGAR ABIERTO

RETO: Un buen control

En este reto podrás descubrir los logros que has alcanzado durante este año escolar. **Puedes invitar a un amigo o familiar para que juntos experimenten este desafío. Tracen un área de juego como la siguiente:**

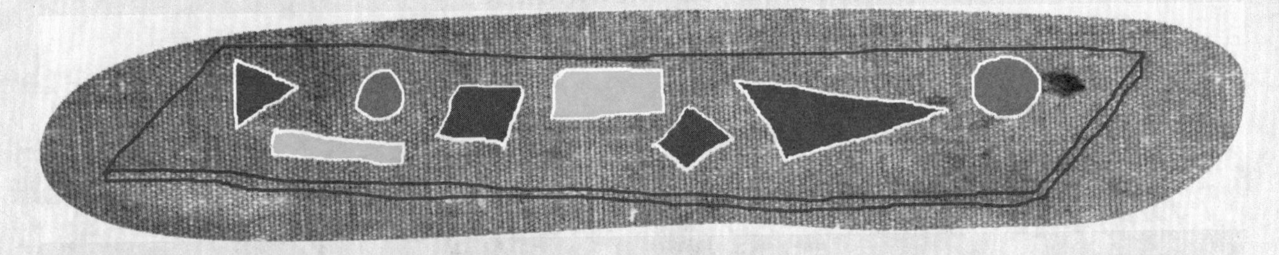

Ahora necesitas dos juegos de tarjetas, las puedes hacer cortando hojas de papel en cuatro partes, cada parte será una tarjeta. Copia el primer juego de tarjetas:

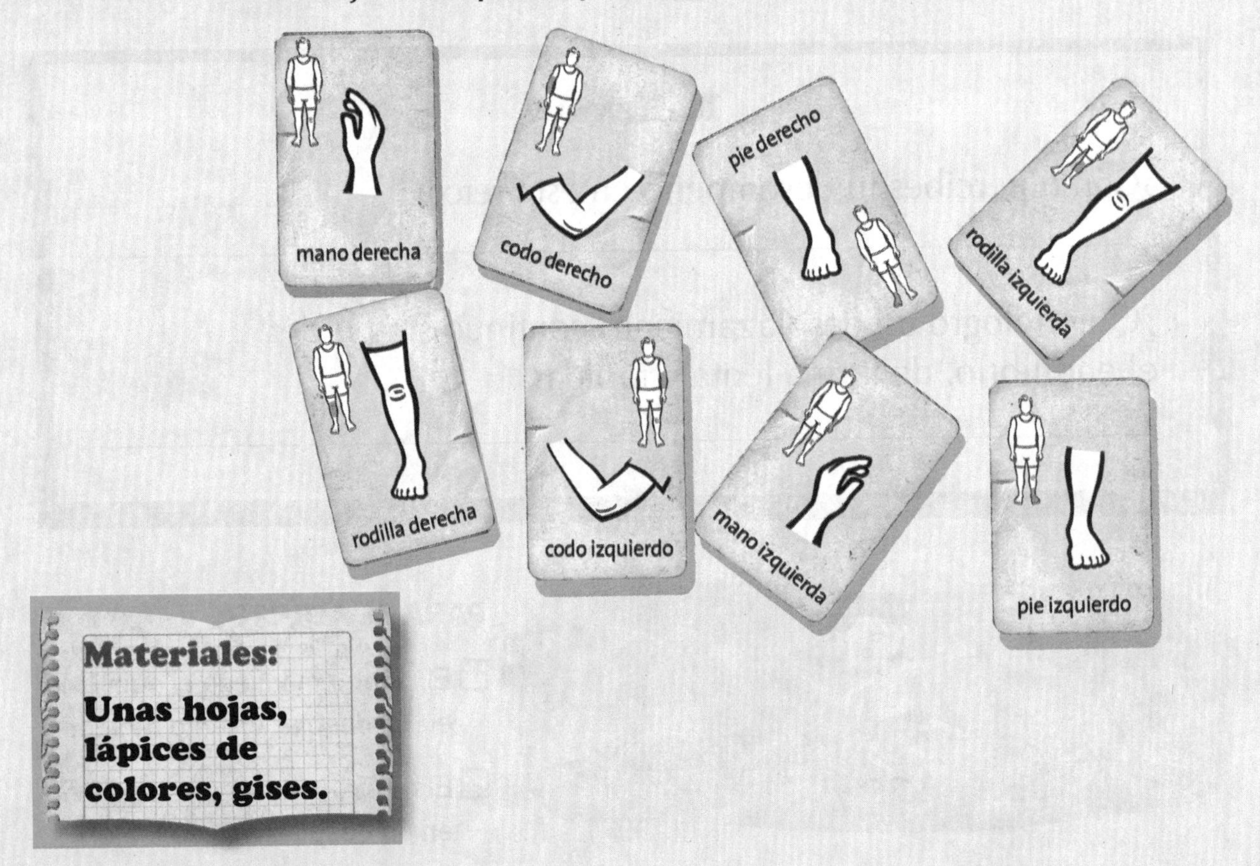

Materiales:

Unas hojas, lápices de colores, gises.

Ahora, copia el segundo juego de tarjetas:

¡Listo para empezar!, coloca de un lado el juego de tarjetas de las partes del cuerpo, y de otro el de figuras geométricas. Tu compañero de juego se colocará en el tablero que dibujaste en el piso, tú tomarás una tarjeta de cada lado y le indicarás con qué parte del cuerpo deberá tocar la figura que aparezca en la tarjeta. Después de un rato cambien de rol.

Reflexión

Con tu compañero de juego, decidan otra forma de llevar a cabo este juego.

En tus actividades diarias, ¿en qué momento utilizas dos partes de tu cuerpo para una misma actividad?

___

PARA EL ADULTO:

- ☐ El niño(a) usa la creatividad para resolver sus problemas motrices.
- ☐ El niño(a) colabora con sus compañeros de juego para la construcción de sus propias habilidades motrices.

INDIVIDUAL
LUGAR ABIERTO O CERRADO

RETO: Dominar la pelota

Este reto implica mucha creatividad. **Deberás imaginar (sí, sólo imaginar) que tienes una pelota sobre tu cuerpo, el desafío consiste en cambiar de posición (sentarte, pararte, acostarte, arrodillarte, inclinar tu cuerpo, pararte de cabeza, etcétera) para que la pelota se desplace hacia donde tú quieras.**

Reflexión

Combina la imaginación y creatividad con los movimientos de tu cuerpo ¡Inténtalo!

Para disfrutar el desafío, utiliza música de tu agrado para acompañar esta actividad.

PARA EL ADULTO:

- ☐ El niño(a) se expresa con facilidad al hacer uso de sus movimientos básicos y su imaginación.
- ☐ El niño(a) utiliza las distintas posiciones (sentado, acostado, hincado, etcétera) para favorecer sus movimientos básicos e imaginación.

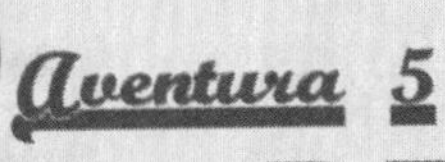

CON UN ADULTO
LUGAR ABIERTO

RETO: Mi estrategia

En este desafío, con la ayuda de un adulto, tendrás que elaborar diferentes **recorridos, utilizando diversos materiales e incluyendo todas las habilidades motrices (correr, saltar, empujar, jalar, lanzar, atrapar, rodar, girar, entre otras) que has conocido y desarrollado a lo largo de tu Cuaderno de aventuras.**

Materiales:

Diversos materiales del entorno como escoba, sillas, macetas, cuerdas, tablas.

Primero, identifica los materiales que puedes usar, luego diseña un recorrido en la siguiente hoja y, por último, llévalo a la práctica.

Espacio para el diseño de tu recorrido

Reflexión

Analiza:

¿Qué hiciste para incluir diferentes habilidades motrices y llevar a cabo tu recorrido?

____

____

PARA EL ADULTO:

☐ El niño(a) ejecuta los movimientos de su recorrido con facilidad.

CON AMIGOS O COMPAÑEROS
LUGAR ABIERTO O CERRADO

RETO: Gusaniños

Uno de los movimientos básicos que puedes hacer con tu cuerpo es gatear, para ello generalmente **utilizas seis puntos de apoyo: las dos manos las dos rodillas y las puntas de los pies; aquí, vas a intentar desplazarte, eliminando uno a uno estos puntos de apoyo.**

En este reto tendrás que intercambiar diferentes ideas con tus compañeros para desplazarte con cinco, cuatro, tres, dos y un punto de apoyo. El gran desafío consiste en desplazarte sin utilizar ninguno de los apoyos anteriores, piensa, ¿cómo lo harías?

Reflexión

¿Qué es más fácil, arrastrarse o rodar por el piso?

____

PARA EL ADULTO:

- [ ] El niño(a) propone diversas e innovadoras formas de desplazarse al ir eliminando los apoyos.

Glosario
Palabras difíciles

- **Actitudes:** Pensamientos o sentimientos que tienes hacia las cosas, las situaciones o las otras personas, y que los demás pueden ver o adivinar por tu forma de actuar o tu estado de ánimo.

- **Aventuras:** Actividad emocionante que te hace sentir bien.

- **Conciencia:** Lo que hace tu mente cuando te ves a ti mismo y quieres saber que estás vivo, contento, triste o si estás haciendo bien o mal las cosas.

- **Colaboración:** Cuando trabajas con otra u otras personas para lograr algo que quieren.

- **Competencias:** Capacidades, cualidades y habilidades que logras cuando estudias o practicas algo: por ejemplo, cuando aprendes a escribir tu nombre.

- **Corporeidad:** Es cuando te das cuenta de cómo eres y cómo es tu cuerpo. Por ejemplo, cuando tienes hambre, sueño o te cansas de estar sentado o parado.

- **Desafíos:** Obstáculos que tienes que superar, esforzándote, para lograr algo.

- **Destrezas:** Habilidades que tienes o aprendes para hacer las cosas. Por ejemplo, lanzar una pelota.

- **Enigmático:** Algo que encierra un misterio.

- **Gérmenes:** Microorganismos —microbios o bacterias— que pueden causar o transmitir enfermedades.

- **Glosario:** Lista de palabras, acompañadas de su explicación, generalmente aquellas de las que tienes dudas sobre su significado.

- **Hábil:** Que tienes la capacidad para hacer algo.
- **Habilidades:** Capacidades que tienes o has adquirido para hacer las cosas.
- **Habilidades motrices básicas:** Son movimientos naturales que haces todo el tiempo, como caminar, correr, saltar, lanzar, trepar, etcétera.
- **Hábitos:** Modos de proceder que has aprendido y que son para tu beneficio. Por ejemplo, lavarte las manos antes de cada alimento.
- **Imitar:** Cuando te esfuerzas por hacer lo mismo que otra persona.
- **Interactuar:** Es la relación de convivencia que realizas con los demás.
- **Lúdico:** Cuando llevas a cabo un actividad que te entretiene y te divierte.
- **Mímica:** Cuando expresas pensamientos, sentimientos o acciones por medio de gestos o ademanes.
- **Motricidad:** Tarea que lleva a cabo el esqueleto, los músculos y el sistema nervioso y que te permite desplazarte y realizar movimientos.
- **Propósito:** Lo que tratas de conseguir o lograr. Por ejemplo, saltar la cuerda.
- **Rally (palabra inglesa):** Juego que realizas en diferentes etapas, en el cual sigues indicaciones u órdenes que te conducen a una meta.

- **Reflexión:** Proceso que desarrollas en tu mente para dar respuesta a problemas que te afectan. Por ejemplo, cuando has perdido tu juguete favorito, requieres recordar para saber dónde lo dejaste.

- **Reto:** Algo difícil de alcanzar, pero que deseas lograr porque te divierte o estimula tu imaginación.

- **Secuencia:** Serie de cosas que guardan entre sí cierta relación y orden. Por ejemplo, cuando te preparas para ir a la escuela, primero te bañas, luego desayunas o comes y por último tomas tu mochila para irte a la escuela.

- **Sugerencias:** Lo que una persona te propone para hacer mejor las cosas.

Educación Física. Primer grado
se imprimió por encargo de la Comisión Nacional
de Libros de Texto Gratuitos, en los
Talleres Rotográficos Zaragoza, S.A. de C.V.,
con domicilio en Calle 3 No. 48,
Fraccionamiento Industrial Alce Blanco,
C.P. 53370, Naucalpan de Juárez,
Estado de México,
en el mes de junio de 2009.
El tiraje fue de 3'258,800 ejemplares.

Impreso en papel reciclado